Animales de la A a la Z

libro de adivinanzas de Xavier Blanch

Primera edición:
mayo de 2007

Diseño gráfico y maquetación:
Estudi Claris

Fotografías:
Agencia ACI
Corel: Corel, Paul Couvrette, John Hafernik-Leslie Saul, Richard Jackson
PhotoDisc: Alan D. Carey, Cybermedia, Marty Honig, Jeremy Woodhouse

Edición:
David Monserrat

Coordinación editorial:
Laura Espot

Dirección editorial:
Lara Toro

La Galera, SAU Editorial
Josep Pla, 95 - 08019 Barcelona
www.editorial-lagalera.com
lagalera@grec.com

Depósito legal: B-24037-2007
Impreso en la UE
ISBN: 978-84-246-2560-3

Impreso en Egedsa
Roís de Corella, 16
08205 Sabadell

SOY LA REINA DE LAS AVES,
VIVO EN LAS ROCAS MÁS ALTAS,
DESDE LO ALTO DE LAS NUBES
PUEDO VER HASTA LAS RATAS.

Soy la reina de las aves,
vivo en las rocas más altas,
desde lo alto de las nubes
puedo ver hasta las ratas.

A a a

ÁGUILA águila águila

MI CUERPO ES DE LOS MÁS GRANDES,
SOY ANIMAL MARINERO,
TENGO UNA FUENTE EN LA ESPALDA
QUE FUNCIONA SI YO QUIERO.

Mi cuerpo es de los más grandes,
soy animal marinero,
tengo una fuente en la espalda
que funciona si yo quiero.

B b b

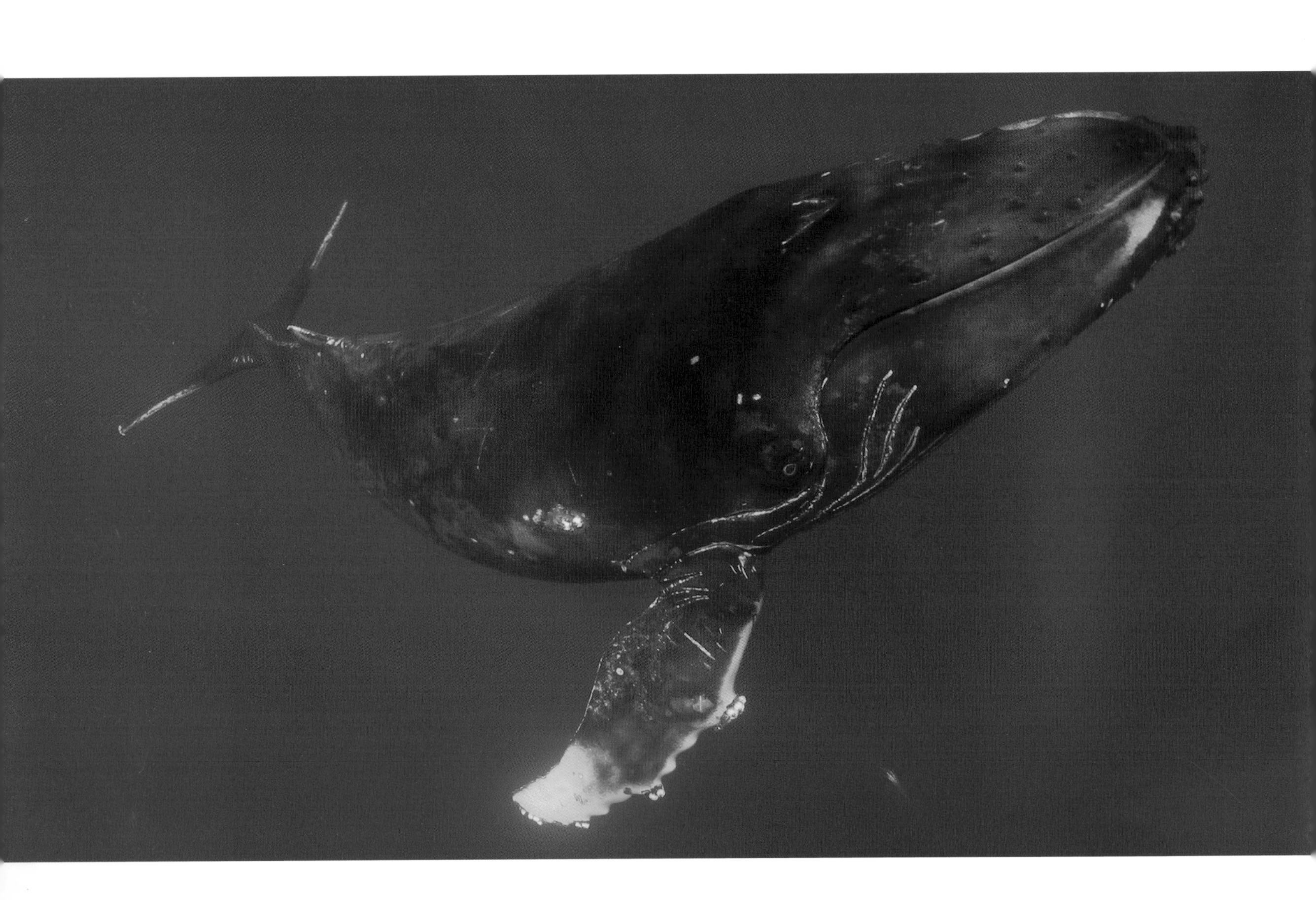

BALLENA ballena ballena

CON MIS CRINES AL VIENTO,
TROTO POR LOS CAMPOS
Y BAILO CONTENTO
AL SON DE MIS CASCOS.

Con mis crines al viento,
troto por los campos
y bailo contento
al son de mis cascos.

C c c

CABALLO *caballo* caballo

QUIZÁ SOY EL MÁS FAMOSO
DE LOS MONOS QUE CONOCES.
SOY SIMPÁTICO, GRACIOSO,
AMO CHILLAR Y DAR VOCES.

Quizá soy el más famoso
de los monos que conoces.
Soy simpático, gracioso,
amo chillar y dar voces.

Ch *ch* ch

CHIMPANCÉ *chimpancé* chimpancé

DESDE EL PRINCIPIO HASTA EL FIN,
AHÍ ESTÁ MI NOMBRE ESCRITO.
DESDE EL FIN HASTA EL PRINCIPIO,
CÓMO ME LLAMO YA TE LO HE DICHO.

Desde el principio hasta el fin,
ahí está mi nombre escrito.
Desde el fin hasta el principio,
cómo me llamo ya te lo he dicho.

D d d

DELFÍN delfín delfín

TENGO LA NARIZ MUY LARGA
Y NO USO YO PAÑUELOS.
SON MUY GRANDES MIS OREJAS,
TE LO DIGO SIN COMPLEJOS.

Tengo la nariz muy larga
y no uso yo pañuelos.
Son muy grandes mis orejas,
te lo digo sin complejos.

E e e

ELEFANTE elefante elefante

CON UN BALÓN EN MI HOCICO
JUEGO Y OS DIVIERTO A LA PAR.
HE TRABAJADO EN EL CIRCO
AUNQUE YO VIVO EN EL MAR.

Con un balón en mi hocico
juego y os divierto a la par.
He trabajado en el circo
aunque yo vivo en el mar.

F  f

FOCA *foca* foca

TENGO ANDARES DE SEÑOR,
Y EN LA CARA UNOS BIGOTES.
LO MÍO ES SER CAZADOR,
NO TE RÍAS NI TE MOFES.

Tengo andares de señor,
y en la cara unos bigotes.
Lo mío es ser cazador,
no te rías ni te mofes.

G g g

GATO gato gato

ME PASO LAS HORAS
NADANDO EN EL RÍO.
BOSTEZO CON GANAS
Y NO TENGO FRÍO.

Me paso las horas
nadando en el río.
Bostezo con ganas
y no tengo frío.

H *h* h

HIPOPÓTAMO *hipopótamo* hipopótamo

SIN SER GALLINA NI GALLO
POSEO UNA LARGA CRESTA,
QUE VA DESDE EL MISMO RABO
HASTA ENCIMA DE MI TESTA.

Sin ser gallina ni gallo
poseo una larga cresta,
que va desde el mismo rabo
hasta encima de mi testa.

I *i* i

IGUANA *iguana* iguana

NO ME LLAMO JUGAR,
Y MENOS AÚN AJUAR,
PERO CON ESTAS PALABRAS
MI NOMBRE PUEDES FORMAR.

No me llamo jugar,
y menos aún ajuar,
pero con estas palabras
mi nombre puedes formar.

J j j

JAGUAR jaguar jaguar

QUIÉN TE LO IBA A DECIR
QUE ME VERÍAS AQUÍ.
MI NOMBRE EMPIEZA CON KI,
Y ACABA CON UNA I.

Quién te lo iba a decir
que me verías aquí.
Mi nombre empieza con ki,
y acaba con una i.

K k k

KIWI kiwi kiwi

MI GRAN CABELLERA RUBIA
DA EL PEGO DE REALEZA.
MANDO Y RUJO CON ASTUCIA
AUNQUE CON CIERTA PEREZA.

Mi gran cabellera rubia
da el pego de realeza.
Mando y rujo con astucia
aunque con cierta pereza.

L ℓ l

LEÓN *león* león

NO SOY BRASA NI SOY FUEGO
Y SIN EMBARGO SOY LLAMA.
CARGADITA CON UN FARDO
VOY SUBIENDO LA MONTAÑA.

No soy brasa ni soy fuego
y sin embargo soy llama.
Cargadita con un fardo
voy subiendo la montaña.

LL *ll* ll

LLAMA *llama* llama

SEA EN ENERO O EN MAYO,
SOPLE EL VIENTO O UNA BRISA
ME GUSTA RASCARME EL CUERPO
SIN TENER NINGUNA PRISA.

Sea en enero o en mayo,
sople el viento o una brisa
me gusta rascarme el cuerpo
sin tener ninguna prisa.

M m m

MANDRIL mandril mandril

JUNTO A RÍOS DE AGUAS LIMPIAS
CONSTRUYO SIEMPRE MI HOGAR.
NADO A CONTRACORRIENTE
Y ME DEDICO A PESCAR.

Junto a ríos de aguas limpias
construyo siempre mi hogar.
Nado a contracorriente
y me dedico a pescar.

N n n

NUTRIA nutria nutria

MI NOMBRE ES BREVE,
¿LO SABES TÚ?
EMPIEZA CON LA LETRA EÑE,
ACABA CON LA LETRA U.

Mi nombre es breve,
¿lo sabes tú?
Empieza con la letra eñe,
acaba con la letra u.

Ñ ñ ñ

ÑU ñu ñu

SOY UN ANIMAL GRANDIOSO
Y ME ENCANTA COMER MIEL.
EN TU CAMA YO REPOSO,
SOY TU AMIGUITO FIEL.

Soy un animal grandioso
y me encanta comer miel.
En tu cama yo reposo,
soy tu amiguito fiel.

O o o

OSO oso oso

VESTIDO DE FRAC,
VOY SIEMPRE DE GALA,
PESCANDO SI PUEDO
EN AGUAS HELADAS.

Vestido de frac,
voy siempre de gala,
pescando si puedo
en aguas heladas.

P p p

PINGÜINO pingüino pingüino

ESCRIBE UNA **Q**,
DESPUÉS UNA **U**.
PON UNA **E**,
DESPUÉS UNA **T**.
TRAZA UNA **Z**
Y AHORA UNA **A**.
DIBUJA UNA **L**
Y… ¡YA ESTÁ!

Escribe una ***q****,*
después una ***u****.*
Pon una ***e****,*
después una ***t****.*
Traza una ***z***
y ahora una ***a****.*
Dibuja una ***l***
y ¡ya está!

Q q q

QUETZAL quetzal quetzal

A MÍ NADIE SE ME ACERCA
SIN QUE YO LE DÉ PERMISO,
QUE TENGO LA CARA FEA
Y CUERNOS SOBRE EL HOCICO.

A mí nadie se me acerca
sin que yo le dé permiso,
que tengo la cara fea
y cuernos sobre el hocico.

R *r* r

RINOCERONTE *rinoceronte* rinoceronte

TODA YO SOY UNA ESE
QUE AVANZA SIN HACER RUIDO,
ME DESPLAZO A RAS DE SUELO,
TE AVISO CON UN SILBIDO.

Toda yo soy una ese
que avanza sin hacer ruido,
me desplazo a ras de suelo,
te aviso con un silbido.

S s s

SERPIENTE serpiente serpiente

EN "EL LIBRO DE LA SELVA"
ME HAN DADO EL PAPEL DE MALO.
ME PINTAN COMO UNA FIERA
QUE ODIA AL CACHORRO HUMANO.

En "El libro de la selva"
me han dado el papel de malo.
Me pintan como una fiera
que odia al cachorro humano.

T t t

TIGRE *tigre* tigre

NEGRA Y BLANCA DE PLUMAJE,
SOY FÁCIL DE RECONOCER.
ME DEDICO AL PILLAJE
SI NO TENGO QUÉ COMER.

Negra y blanca de plumaje,
soy fácil de reconocer.
Me dedico al pillaje
si no tengo qué comer.

U u u

URRACA urraca urraca

AUNQUE SOY MUY GRANDULLONA
NO ME DEBÉIS TEMER
PORQUE SOY BUENA PERSONA
Y OS DOY LECHE PARA BEBER.

Aunque soy muy grandullona
no me debéis temer
porque soy buena persona
y os doy leche para beber.

V v v

VACA *vaca* vaca

LA DOBLE UVE DE MI NOMBRE
LLEVO YO EN LA CABEZA.
TIENE FORMAS CAPRICHOSAS,
ME DA AIRES DE GRANDEZA.

La doble uve de mi nombre
llevo yo en la cabeza.
Tiene formas caprichosas,
me da aires de grandeza.

W w w

WAPITI wapiti wapiti

ENTRE UNA A Y UNA I
ESTÁ LA LETRA QUE BUSCAS.
AÑADE AL FINAL UNA ESE
Y SE ACABARÁN LAS DUDAS.

Entre una a y una i
está la letra que buscas.
Añade al final una ese
y se acabarán las dudas.

X x x

AXIS axis axis

NUNCA ME ENCONTRÉ AL YETI
POR LOS MONTES DE HIMALAYA.
QUIZÁ ES QUE ÉL VIVE EN LAS NIEVES
Y YO EN ALDEAS TIBETANAS.

Nunca me encontré al Yeti
por los montes de Himalaya.
Quizá es que él vive en las nieves
y yo en aldeas tibetanas.

Y y y

YAK yak yak

LA FAMA TENGO DE ASTUTO,
PREGÚNTASELO A LOS GRANJEROS,
QUE NO GANAN PARA SUSTOS
CUANDO ENTRO EN SUS GALLINEROS.

La fama tengo de astuto,
pregúntaselo a los granjeros,
que no ganan para sustos
cuando entro en sus gallineros.

Z z z

ZORRO zorro zorro